Le tonton de Max et Lili est en prison

Série dirigée par Dominique de Saint Mars

© Calligram 2011
Tous droits réservés pour tous pays
Imprimé en Italie
ISBN : 978-2-88480-581-0

Ainsi va la vie

Le tonton de Max et Lili est en prison

Dominique de Saint Mars

Serge Bloch

CALLIGRAM

CHRISTIAN ○ ALLIMARD

Tonton Jeannot en prison ?
Mais qu'est-ce qu'il a fait, Léa ?

Papa a recommencé à boire*...
Il a provoqué un accident...
Il y a eu des blessés graves.
Il a été condamné
à un an de prison.

* Retrouve tonton Jeannot dans *Émilie n'aime pas quand sa mère boit trop.*

T'es allée le voir ?

Non. Maman ne sait pas que je le sais, et papa me fait envoyer par un ami des cartes postales pour me faire croire qu'il est en Chine...

Il nous en envoie aussi ! Il te manque ? T'as pas envie de le voir ?

Non ! Il m'aime pas, mon père ! Sinon, il ne me mentirait pas...

C'est peut-être parce qu'il t'aime qu'il te ment...?

Il m'aime pas, je te dis ! Sinon, il se conduirait bien, pour ne pas aller en taule ! Il me fait honte !

Tu sais pourquoi maman est triste depuis quelque temps ?

Tu trouves qu'elle est triste ?

Tu vois rien, toi ! Et tu sais pourquoi tonton Jeannot ne vient plus nous voir ?

Il est en Chine ! Il entraîne l'équipe nationale de ping-pong ! Tu le sais bien !

12

13

Pourquoi, pourquoi ?!
Ça t'a jamais intéressé
les prisons ? Ça n'arrive
pas qu'aux autres,
la prison, tu sais !

À ton avis,
c'est à partir de quel
âge qu'on peut piloter
un hélicoptère ?

Tu me poses
de drôles
de questions,
aujourd'hui ! Tu ne
me cacherais pas
quelque chose !

* Retrouve Sabine dans Lili a été suivie.

N'importe quoi ! Il y a aussi des gens bien dans les prisons !

Ça m'étonnerait !

Y a des gens qui l'ont pas fait exprès ! Y a même des innocents ! T'as jamais entendu parler d'erreurs judiciaires ! Si tu crois que c'est simple, la justice !

On demande des explications à maman ? Et à papa ? Ils sont complices !

Attendons un peu. C'est peut-être tonton Jeannot qui ne veut pas qu'on sache.

* Retrouve l'histoire dans *Le père de Max et Lili est au chômage.*

18

22